Les animaux de Lou

Je te protège, Petit Loup !

...pour les enfants qui apprennent à lire

Le texte à lire dans les bulles est conçu pour l'apprenti lecteur. Il respecte les apprentissages du programme de CP :

le niveau TRÈS FACILE correspond aux acquis de septembre à décembre,

le niveau FACILE correspond aux acquis de janvier à juin.

Cette histoire a été testée à deux voix par Francine Euli, enseignante, et des enfants de CP.

Cet ouvrage est un niveau Facile.

MIXTE
Papier issu de
sources responsables
FSC® C022030

© Éditions Nathan (Paris, France), 2013
Loi n° 49-956 du 16 juillet 1949 sur les publications destinées à la jeunesse
ISBN : 978-2-09-254334-4
N° éditeur : 10188176 - Dépôt légal : juin 2013
Imprimé en France par Pollina - L64956

Je te protège, Petit Loup !

TEXTE DE MYMI DOINET

ILLUSTRÉ PAR MÉLANIE ALLAG

Vive l'été à la montagne! Lou passe
les vacances chez ses grands-parents,
tout là-haut dans leur chalet. Tim,
son cousin, est là aussi. Il blague:

Ici, c'est fou,
les vaches ont
des bijoux!

À la fin de la journée, Lou et Tim vont ramasser des myrtilles pour le dîner. Soudain, ils voient un petit animal derrière un sapin. Lou s'approche sans bruit.

Heureusement Lou a un super pouvoir !
Elle comprend le langage des animaux :
depuis le coucher du soleil, quelqu'un
poursuit le jeune loup.

Lou et Tim rassurent le louveteau
et lui promettent de le défendre !

Merci Petit Chaperon rouge, merci Petit Poucet !

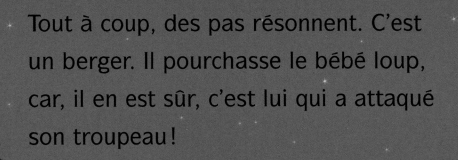

Tout à coup, des pas résonnent. C'est
un berger. Il pourchasse le bébé loup,
car, il en est sûr, c'est lui qui a attaqué
son troupeau !

Bêêê,
le loup m'a
mordu le cou !

En colère, le berger menace la pauvre bête avec son bâton. Lou attire son ami tout tremblant contre son cœur.

Je te protège, Petit Loup !

Tim se révolte :

C'est mal d'accuser sans preuve !

Le berger montre alors des traces
de pattes sur le sol.

Regardez !

Mais les pas du louveteau sont bien plus petits que les marques dans la terre. Pour Lou, la preuve est faite.

Petit Loup est innocent!

Le berger est d'accord.
Éclairés par les vers luisants,
la petite bande et le troupeau
suivent les traces de pattes.
Brusquement, bing! des cailloux
roulent vers eux...

Tim court en tête, et Lou ordonne :

Montre-toi,
dévoreur de
moutons !

Mais c'est juste un bouquetin qui saute sur les rochers! Il se régale en mâchant une fleur de pissenlit.

C'est bon!

Les traces de pattes vont jusqu'au village, puis elles s'arrêtent près du restaurant *La Fondue*.

Là, un museau
plein de dents
dépasse de
la poubelle
et grogne :

J'ai faim !

Les lumières du village éclairent l'animal affamé. C'est un très gros chien. Panique! Les moutons le reconnaissent!

Bêêê, on s'est trompé!

Bêêê, Petit Loup n'est pas méchant!

L'énorme toutou avoue tout à Lou :
son maître l'a abandonné. N'ayant
rien à manger, couic ! il a mordu
les moutons. Le berger a pitié.

Il propose d'adopter le chien, à condition qu'il veille sur son troupeau. En échange, il aura des croquettes.

Bêêê, tu seras notre gardien !

Il est tard! Les grands-parents de Lou sont inquiets. Ils agitent leurs lanternes.

Les enfants, où êtes-vous?

Tim et Lou, qui les entendent, rentrent vite au chalet. Ils n'ont pas cueilli beaucoup de myrtilles, mais ils ont sauvé un louveteau accusé pour rien !

Petit Loup, lui, retourne vers sa meute.
Les yeux brillants comme des pépites,
il se perche au sommet de la montagne.
Et, heureux, il hurle au clair de lune :

Lou te dit tout sur le loup

Pas de divorce dans la famille des loups
Le loup et la louve restent ensemble toute
leur vie. Chaque hiver, les parents loups
agrandissent la famille de 3 à 6 petits. Dans
la tanière, à l'abri du froid, la louve tapisse
le sol avec les poils de son ventre. Ses
louveteaux naîtront sur ce tapis tout doux.

Le louveteau n'est pas bien gros
Adulte, le loup ressemble à un gros chien,
ce qui est normal : ils sont cousins !
À la naissance, le petit loup n'est pas plus
lourd qu'un hamster. Pour vite grandir, il tète
d'abord le lait de la louve, sa maman. Puis,

il goûte à de la viande qu'elle a mâchée
pour lui faire de la bouillie.

À chacun sa voix
Comme toi qui as une voix très
reconnaissable, chaque loup pousse
un cri bien à lui. Pas besoin de téléphone.
Les meutes se parlent ainsi à distance.

C'est eux les chefs
Dans la meute, le loup et la louve les
plus forts commandent. Ce sont les seuls
à avoir des louveteaux. Si un loup du groupe
désobéit, les chefs lui montrent leurs crocs
et ils hérissent leurs poils en signe de
mécontentement.

Ils ne croquent pas les hommes
En France, plus de 200 loups vivent dans
la nature. Mais pas de danger qu'ils
s'attaquent aux promeneurs ! Les loups
sont très peureux : dès qu'on les approche,
ils s'enfuient plus vite qu'une mobylette !

premières lectures

À la rentrée de septembre, les enfants de CP entrent doucement en lecture. Afin de les accompagner dans cette découverte et d'encourager leur plaisir de lire, Nathan Jeunesse propose la collection **Premières lectures**.

Chaque histoire est écrite avec des **bulles**, très simples, et des **textes**, plus complexes, dont les sons et les mots restent toujours adaptés aux compétences des élèves dès le CP.

Les ouvrages de la collection sont tous **testés** par des enseignants et proposent deux niveaux de difficulté : **Très Facile** et **Facile**.

Cette collection est idéale pour la mise en place d'une **pédagogie différenciée**, mais aussi pour une **lecture à deux voix**. Elle permet en effet de mêler la voix d'un «lecteur complice», que la lecture des textes rend narrateur, à celle d'un enfant qui se glisse, en lisant les bulles, dans la peau du personnage.

Un moment privilégié à partager en classe ou en famille !

premiers romans

Et après les **Premières lectures**, découvrez vite les **Premiers romans !**

Nathan © 2013, illustrations de M. Allag, Z. Z